A Criação

No princípio, Deus criou os céus e a Terra. Disse Deus: — Haja Luz! E a luz apareceu. Deus chamou a luz de "dia" e a escuridão de "noite". E assim foi o primeiro dia da Criação.

Deus fez uma separação entre as águas. A parte de cima chamou "céu" (onde ficam as nuvens e a chuva). A parte de baixo, "mar". Este foi o segundo dia da Criação.

Deus ordenou: — Ajuntem-se as águas num só lugar e apareça a terra seca.

E quando a terra apareceu, Deus ordenou a ela:

— Terra, produza plantas e árvores! — E assim foi o terceiro dia da Criação.

Deus criou os astros. A luz maior chamou de "sol", que clareia o dia. A luz menor, chamou de "lua" para clarear a noite. E fez também as estrelas para poder assim marcar os dias, os anos e as estações. E assim foi o quarto dia da Criação.

Disse Deus: — Que existam nas águas seres viventes! — E naquele instante passaram a existir os peixes e outras criaturas marinhas. Criou pela Sua palavra também as aves. E foi assim o quinto dia da Criação. A Terra, Deus também povoou de animais de várias espécies. Criou répteis, animais domésticos e selvagens, cada um segundo a sua espécie.

Depois, Deus, com suas próprias mãos, pegou o barro e formou o homem parecido com Ele, soprou o fôlego de vida em suas narinas e deu-lhe o nome de Adão. Adão, observando que todos os animais tinham uma companheira, ficou triste. Então, Deus vendo isto, pensou: "Não é bom que o homem viva só, farei uma companheira para Adão". Deus fez Adão dormir profundamente e de uma de suas costelas formou aquela que seria o par dele. Ao acordar, Adão ficou feliz, pois ganhou uma companheira, a quem deu o nome de Eva. Esse foi o sexto dia da Criação. Deus olhou tudo o que fez, viu que era bom e bonito. Assim, bem satisfeito, no sétimo dia Ele descansou.

Deus criou um lindo
jardim que chamou de
Éden, com vários tipos de
árvores e, entre elas, duas árvores
se destacavam:
a Árvore da Vida e a Árvore do Conhecimento do Bem e do Mal.
A única árvore que Deus pediu para Adão e Eva não comerem
o fruto foi da Árvore do Conhecimento do Bem e do Mal,
porque, se comessem, morreriam.
Ao passear no jardim, Eva ficou parada em frente à Árvore do
Conhecimento do Bem e do Mal, observando os frutos. Então a cobra
(que era o Mal disfarçado) se aproximou e perguntou:
— Por que não come, Eva? Parecem tão gostosos esses frutos!
Eva respondeu:
— Posso comer todos os frutos, menos esses, pois é ordem de
Deus não comê-los.

A cobra perguntou:
— Você sabe como se chama esse fruto?
— Sei sim — responde Eva — Fruto do Conhecimento do Bem e do Mal.

Então, a cobra disse:
— Se você comer, vai saber tanto quanto Deus ou até mais que Ele.
— Ah é? — Então Eva comeu do fruto e deu a Adão. Depois de desobedecerem a Deus, assustados eles se esconderam, pois estavam envergonhados de estarem nus. No final da tarde, Deus foi visitá-los e ficou triste ao descobrir que Adão e Eva desobedeceram a Ele.

Deus providenciou vestes para Adão e Eva e disse-lhes:
— Eva, porque foi enganada pela cobra, porei inimizade entre você e ela.

Quanto a você Adão, a partir de agora terá de trabalhar para adquirir o seu alimento. Agora que vocês pecaram, a dor, a doença e a morte farão parte de suas existências. E não podem mais ficar aqui. E assim como Deus tinha ordenado, Adão e Eva saíram do Jardim do Éden. Foram cultivar a terra, tiveram muitos filhos e eles se espalharam pela Terra.

O Dilúvio

Houve um tempo em que a maldade do homem se multiplicou. Aos olhos de Deus a Terra estava completamente perdida. Somente um homem era justo, bom e andava com Deus: Noé. Então Deus disse a Noé: — Resolvi acabar com todos os seres, porque a Terra está corrompida.
Construa um barco grande, uma arca, porque vou enviar uma chuva bem forte, um dilúvio para consumir tudo.
Entre na arca com a tua família e leve um casal de cada espécie de animal que vive sobre a Terra. Leve alimento para todos.

Noé fez tudo como Deus lhe ordenara.

Noé entrou na arca com sua família e, quando o último animal entrou, Deus fechou a arca. Começou então a chover. Choveu durante 40 dias e 40 noites. As águas cobriram os montes e tudo o que tinha vida sobre a terra veio a perecer.

Só ficaram Noé e aqueles que estavam dentro da arca. A arca sobre as águas. Durante 150 dias as águas predominaram.

Lembrou-se Deus de Noé e de todos os animais que estavam na arca.

Então, enviou um vento forte e as águas começaram a baixar, até a arca repousar sobre o monte Ararate.

Após 40 dias, Noé abriu a janela que fizera na arca e soltou um corvo, que ficou voando de um lado para outro.

Depois soltou uma pomba para ver se a água havia baixado, mas a pomba, não tendo achado lugar para pousar, retornou para a arca. Noé esperou mais 7 dias e soltou a pomba novamente. Quando ela retornou trouxe no bico um raminho novo de oliveira, Noé entendeu então que as águas tinham baixado.

Noé esperou mais 7 dias e soltou a pomba mais uma vez. Desta vez ela não voltou.

Então Noé removeu a cobertura da arca, olhou e viu que o solo estava enxuto. Saiu Noé, sua família e todos os animais que estavam na arca. Levantou Noé um altar ao Senhor para agradecer por tê-los salvo.

Deus disse a Noé:

— Nunca mais vou destruir todo o ser vivente como fiz. Enquanto durar a Terra, não deixarão de existir sementes e plantas, frio e calor, verão e inverno, dia e noite.

Não destruirei mais a vida por águas de dilúvio.

Abençoou Deus a Noé e a seus filhos e lhes disse:

— Multiplicai-vos e enchei a Terra. — E colocando no céu o arco-íris, declarou

— Estabeleço hoje a minha aliança com os homens e com toda a Terra, quando eu trouxer nuvens sobre a Terra e nelas aparecer o arco, lembrem-se da minha promessa.